Méchant défi!

Catalogage avant publication de Bibliothèque et Archives
nationales du Québec et Bibliothèque et Archives Canada

Mercier, Johanne

    Méchant défi!

    (Le trio rigolo ; 19)
    Pour les jeunes de 10 ans et plus.

    ISBN 978-2-89591-114-2

    1. Cantin, Reynald. II. Vachon, Hélène, 1947- . III. Rousseau, May, 1957- .
IV. Titre. V. Collection: Mercier, Johanne. Trio rigolo ; 19.

PS8576.E687M42 2011   jC843'.54   C2010-942285-6
PS9576.E687M42 2011

Tous droits réservés
Dépôts légaux: 1er trimestre 2011
Bibliothèque nationale du Québec
Bibliothèque nationale du Canada
ISBN 978-2-89591-114-2

© 2011 Les éditions FouLire inc.
4339, rue des Bécassines
Québec (Québec) G1G 1V5
CANADA
Téléphone: 418 628-4029
Sans frais depuis l'Amérique du Nord: 1 877 628-4029
Télécopie: 418 628-4801
info@foulire.com

Les éditions FouLire reconnaissent l'aide financière du gouvernement
du Canada par l'entremise du Programme d'aide au développement de
l'industrie de l'édition (PADIÉ) pour leurs activités d'édition.

Elles remercient la Société de développement des entreprises culturelles du
Québec (SODEC) pour son aide à l'édition et à la promotion.

Elles remercient également le Conseil des Arts du Canada de l'aide accordée
à son programme de publication.

Gouvernement du Québec – Programme de crédit d'impôt pour l'édition de
livres – gestion SODEC.

IMPRIMÉ AU CANADA/PRINTED IN CANADA

Méchant défi !

AUTEURS ET PERSONNAGES :

JOHANNE MERCIER • *Laurence*
REYNALD CANTIN • *Yo*
HÉLÈNE VACHON • *Daphné*

ILLUSTRATRICE :

MAY ROUSSEAU

Le Trio rigolo

LAURENCE

«Assis sur un vieux pneu, Gamache pèle une banane noircie. À côté de lui, une caisse de bananes dans le même état. Une image qui va me rester longtemps...»

Guillaume Gamache vient d'affirmer devant toute la classe que le rêve de sa vie, c'est de voir un jour son nom inscrit dans le grand *Livre des records Guinness*! Il est certain d'y arriver. Même qu'il y travaille depuis des mois. Mais il ne peut pas en révéler davantage, pour ne pas se faire voler l'idée, et il préférerait que personne ne lui pose de question. Par respect pour son projet. Personnel. Et secret. Et confidentiel.

– C'est beau, Guillaume, on a compris, a fait Max Beaulieu.

Sur le coup, j'ai cru que Gamache voulait provoquer un débat, faire rire tout le monde, attirer l'attention ; bref, qu'il finirait par avouer que c'était une blague.

Mais non.

Il était sérieux.

Notre professeur, monsieur Lépine, qui, au départ, souhaitait que la discussion tourne autour de nos plus grandes ambitions, n'a pas commenté celle de Gamache. Moi, je me permets de le faire, mais à voix basse. Juste pour mon amie Geneviève, assise à côté de moi.

Je lui glisse à l'oreille :

– C'est complètement ridicule...

– Le rêve de Gamache ?

– Le *Livre des records Guinness* ! C'est rempli de niaiseries...

– Pas d'accord avec toi, me répond Ge.

Je la dévisage. Elle est sérieuse, elle aussi. Qu'est-ce qu'ils ont tous, aujourd'hui ? Elle ajoute même :

– Le *Guinness* pousse les gens à relever des défis incroyables, Laurence, à se dépasser.

– Comme de jongler avec des tronçonneuses en marche ?

– Je comprends Gamache, moi. Être dans le livre des records, c'est une façon d'immortaliser son nom.

– N'importe quoi !

Emportée, j'ai haussé le ton. Monsieur Lépine nous a repérées. Je suis foutue.

– LAURENCE VAILLANCOURT !

– Oui ?

Je joue l'étonnement, bien sûr.

– Myriam nous parle de ses rêves d'avenir, pourrais-tu être attentive, s'il te plaît!?

– Je l'écoutais très bien.

Je n'aurais jamais dû ajouter ce commentaire.

– Et tu trouves qu'ouvrir un hôpital pour les enfants malades en Haïti, c'est «n'importe quoi»?

– Ah! L'hôpital, ce serait pour les malades! C'est pas du tout ce que j'avais compris...

Évidemment, il sait que je n'écoutais pas. Il soupire. Le nombre de fois que monsieur Lépine soupire en regardant dans notre direction, Geneviève et moi... Le problème, c'est qu'assises au fond de la classe, on n'entend strictement rien de ce que raconte la timide Myriam Saint-Arnaud. On a beau faire un effort terrible d'attention, après huit secondes, nous revenons à notre passionnante discussion.

Cette fois, c'est Geneviève qui commence à chuchoter :

– En tout cas, moi aussi, un jour, je vais être dans le livre des records...

Je brûle de lui répondre, mais monsieur Lépine nous surveille.

Quand il détourne enfin les yeux, Geneviève ajoute :

– Je le sais depuis que je suis toute petite...

– Tu veux battre le record du plus grand nombre de *jelly beans* mangés en dix minutes ?

Elle me regarde, complètement éberluée.

– Comment t'as fait pour deviner ?

13

– Je te connais depuis la maternelle, Ge.

Notre professeur, qui n'en peut vraiment plus de nous entendre jacasser, nous colle un devoir supplémentaire.

– Pas encore! se désole Geneviève.

Même si je déprime autant qu'elle, pour l'encourager un peu, je murmure:

– Si on bat le record de devoirs supplémentaires, t'auras pas besoin de te rendre malade avec tes *jelly beans* pour être dans le *Guinness*.

Elle ne me trouve pas drôle du tout.

Après l'école, je m'empresse d'aller retrouver Gamache pour tenter d'en savoir un peu plus sur son projet. Je suis curieuse. Non, je suis intriguée, c'est différent. Et puis Gamache est un bon ami. Il va sûrement tout me révéler, à moi, et peut-être que je lui ferai entendre raison. Guillaume Gamache dans le *Livre des records Guinness*... Quelle idée !

Je le talonne.

Je le questionne.

Je n'abandonnerai pas.

– Je ne te dirai rien, Laurence Vaillancourt. Arrête de me poser dix mille questions. C'est mon secret !

– Voyons, Guillaume ! Ton secret va être publié dans un livre qui se vend à des milliards d'exemplaires ! Tu peux bien me le dire, à moi.

– Surtout pas à toi.

– On n'est pas des amis ?

– Justement. Je te connais, tu vas rire de mon défi.

– Je te promets de ne pas trouver ça nono.

– ... Non.

Il a eu un petit moment d'hésitation, tout de même, avant de refuser. Il est sur le point de craquer. Je le sens. Je devrais tellement travailler pour le FBI.

Nous marchons.

Je me tais.

J'attends.

Je suis patiente.

Quelques coins de rue plus loin, Gamache me confie (sans me donner de détails) qu'il s'exerce depuis trois mois et qu'il est sur le point d'établir un nouveau record du monde...

Il meurt d'envie de tout déballer.

16

– Tu en as trop dit, Guillaume. Qu'est-ce que c'est?

Il s'arrête. Le fruit est mûr.

– Tu vas garder le secret, Laurence?

– Juré!

Alors, il m'annonce fièrement:

– Je veux réussir à manger cinq bananes en une minute.

– Hein?

– Y compris le temps où j'enlève la pelure.

– Oui, j'imagine, parce que manger la pelure…

C'est pire que tout. Je ne laisse rien paraître. J'ai promis.

Gamache poursuit, toujours avec le même enthousiasme:

– Le record du monde a été enregistré en 2007 par Christopher «Big Black» Boykin. Il a pelé et avalé trois bananes en une minute. Je sais que je peux faire mieux!

– Tu penses vraiment que…

– J'adore les bananes, Laurence.

– C'est certain que c'est un atout.

Que dit-on à un ami qui se fixe comme objectif de réussir à manger cinq bananes en une minute? Que dit-on à un ami qui nous confie avec sérieux que son plus grand problème, c'est qu'il perd encore trop de temps avec la pelure?

Que lui dit-on, surtout, quand il a tout plein d'étincelles dans les yeux en décrivant son projet?

– Tu ne dis rien, Laurence?

– Je t'écoute, Guillaume.

– C'est un exercice plus technique qu'on pourrait le croire, peler une banane. Ça demande beaucoup de concentration...

– Et une bonne dextérité, je suppose.

– Y a des bananes qui se pèlent facilement, mais celles qui sont trop mûres s'écrasent. La pelure des vertes colle à la pulpe, c'est l'enfer!

– Il faut se faire à l'idée que la banane parfaite n'existe pas...

– Exact!

Il me regarde en souriant.

– Moi qui pensais que ça ne t'intéresserait pas, mon histoire de bananes. Je te trouve vraiment cool, Laurence!

– LAUREEEENCE!

C'est Geneviève qui fonce vers nous. Gamache panique et m'ordonne de ne rien lui dire.

– Pourquoi?

– Elle va tout faire gâcher. Jure-moi de garder le secret.

– Mais...

– Chuuut!

Geneviève pourrait tellement l'aider. Elle partage la même ambition avec ses *jelly beans*. Je promets tout de même à Guillaume de ne rien révéler...

– Vous parliez de quoi? demande aussitôt Geneviève.

– On parlait de rien, je m'empresse de lui répondre.

– Du projet de record *Guinness*?

– Quel projet de record *Guinness*?

– Laurence, franchement!

Elle se tourne vers Guillaume et lui annonce, tout énervée :

– J'ai plein d'infos pour toi, Guillaume! Je sais comment enregistrer un record, je connais la marche à suivre, tout!

Guillaume reste de glace.

– Moi aussi, c'est mon rêve d'avoir mon nom dans le *Guinness*. J'ai monté un dossier.

Je sens que Gamache hésite. Geneviève ne lâchera pas prise. Je la connais…

– Ton défi fait partie de quelle catégorie? demande-t-elle, mine de rien.

– …

– Sport extrême, j'imagine…

– …

– Si tu veux faire homologuer ton record cette année, la date limite, c'est vendredi, en fait, c'est après-demain.

– Après-demain?

– Faudrait que tu leur envoies ton projet le plus vite possible.

Gamache a craqué encore une fois. Geneviève pourrait très bien travailler pour le FBI avec moi.

– Je vais t'aider, Guillaume! propose Geneviève.

– Pas besoin d'aide.

– Tu ne peux pas battre un record du monde tout seul! Il doit y avoir une équipe derrière toi.

Geneviève me regarde. Elle attend que j'intervienne. Que je l'appuie. La soutienne.

– Hein, Laurence?

Je dis ce que je pense ou pas?

– Geneviève a parfaitement raison, tu n'y arriveras jamais, Guillaume. Abandonne!

– Hein? Qu'est-ce que tu racontes, Laurence Vaillancourt?

Max Beaulieu avance vers nous, maintenant. Cette fois, c'est Geneviève qui panique.

– Silence tout le monde! ordonne-t-elle. Pas question de mettre Max Beaulieu au courant. Il pourrait tout faire gâcher.

Max salue Gamache, mais nous ignore totalement.

– Entraînement à 19 heures, dans notre garage, lance Max. J'ai trouvé un nouveau chrono.

– Parfait! À plus! répond Guillaume.

– À plus.

Max poursuit son chemin. Étonnée, Geneviève le regarde s'éloigner. Aussitôt qu'il a tourné le coin de la rue, elle commence son interrogatoire.

– Entraînement de quoi?

– Soccer intérieur, répond maladroitement Gamache.

Il est incapable de mentir, celui-là.

– Max est dans le coup du *Guinness* aussi? demande Geneviève.

Gamache hoche la tête; Max est son entraîneur privé. Moi qui pensais être dans le secret des dieux... Geneviève ne se laisse pas démonter. Elle annonce même, tout énervée:

– Je vais emprunter la nouvelle caméra vidéo HD de l'école!

– Pourquoi ? s'étonne Gamache.

– Laurence et moi, on sera tes témoins, Guillaume. On va filmer l'exploit. On va même filmer ton entraînement dans le garage de Max ce soir !

– Pas nécessaire...

– Pas nécessaire ? Imagine le cauchemar, si jamais tu réussissais ton exploit et que personne ne l'avait immortalisé. Il te faut une preuve ! C'est ce que demande le *Guinness World Records*.

– Tu penses ?

– Ils ne viendront pas te voir ici, Guillaume. Ils sont à Londres.

– En Angleterre ?

– *Yes, sir !* Mais on est avec toi ! Hein, Laurence ? Ensuite, vous m'aiderez à relever mon défi avec les *jelly beans*...

Je n'ai encore rien dit. Gamache réfléchit. Geneviève est déjà partie emprunter la caméra de l'école.

Il est 19 h 30, nous nous tenons devant la porte du garage de Max. Geneviève a la caméra dans son sac à dos. Monsieur Lépine a longtemps hésité avant de la lui prêter. Nous sommes les premières à l'utiliser, paraît-il. Tout un honneur!

Bref, il faut en prendre bien soin.

Je frappe plusieurs coups, puis la porte du garage finit par se lever en faisant un bruit d'enfer. Aussitôt, une puissante odeur de bananes pourries attaque nos narines. Au fond, assis sur un vieux pneu, Gamache pèle une banane noircie. À côté de lui, une caisse de bananes dans le même état. Une image qui va me rester longtemps...

Geneviève s'approche de lui, souriante :

– Excellent régime, Guillaume ! C'est ce que mangent tous les athlètes. Les bananes donnent de l'énergie très rapidement et tu peux faire plusieurs heures d'exercice intense.

Je m'aperçois que Geneviève ne connaît même pas le défi de Guillaume, qui pèle une autre banane avec une dextérité à couper le souffle. Il jette la pelure et la banane par terre et recommence.

Puis il en pèle une autre.

Et encore une autre...

Je dois l'avouer, c'est très impression-
nant. Et que dire de sa technique spéciale pour l'épluchage de bananes trop
mûres ? Avec ses dents et ses doigts
simultanément. Des heures et des heures
d'entraînement, sans doute.

Geneviève l'observe sans dire un
mot.

Guillaume est concentré sur chacun
de ses gestes. Tout compte. Tout est
calculé. Devant lui, Max chronomètre
en silence. Chuchote les résultats et
l'encourage en faisant de petits signes
de tête.

Geneviève ne comprend rien.

– Euh… Guillaume ? demande-t-elle,
entre deux bananes.

– Chuuut ! ordonne Max. *Focus*,
Guillaume ! *Focus !* Tu battais presque le
record avec l'avant-dernière…

– Qu'est-ce qu'il fait, au juste?

– Ignore les filles, Guillaume! supplie Max. Continue!

Geneviève est offusquée. Je l'entraîne un peu à l'écart.

– Il est devenu fou ou quoi? Il les mange même pas, ses bananes! Il veut détenir le record du plus grand nombre de cochonneries lancées dans un garage?

Je lui explique le défi de Gamache, mais certainement avec moins d'enthousiasme que ne l'aurait fait Guillaume ou même Max.

– Hein? cinq bananes en une minute! s'étonne Geneviève.

– Méchant défi, hein?

– C'est trop génial! lance aussitôt Geneviève en sortant rapidement la caméra de son sac à dos. Il faut tout filmer! Les gens doivent savoir tout le travail qui se cache derrière ce record du monde.

Le *Guinness* les rend tous fous, j'en suis maintenant certaine.

Geneviève saisit sa caméra, la sort de son étui de vinyle puis la tourne dans tous les sens en essayant de comprendre son fonctionnement.

Une éternité.

Elle finit évidemment par s'impatienter et me tend l'appareil.

– Essaye à ton tour. C'est l'enfer!

J'observe, fais quelques tentatives et lui remets la caméra avec ma conclusion personnelle :

– Trop de boutons.

– Laurence, lis le livret d'instructions, pendant que j'essaye de trouver le bouton de mise en marche...

– Y a même pas de livret d'instructions dans l'étui, Ge.

– Oh, oh, oh !

– Quoi ?

– Je filme, là...

– En ce moment ?

– Souris, Laurence !

– Ça tourne vraiment ?

– Ouiiii ! Dis quelque chose... pour le *Guinness World Records*.

J'éclate de rire. Geneviève a le pire des accents quand elle parle en anglais. Max s'approche de nous, visiblement de très mauvaise humeur.

– Bon, les filles, vous dérangez vraiment!

– On ne fait rien, on ne peut pas déranger!

– Depuis que vous êtes arrivées, Guillaume augmente son temps d'épluchage.

Geneviève est toujours derrière la caméra.

– Souris, Max!

– Hein?

– Je te filme.

Max hausse les épaules. Il s'en fout.

Geneviève ajoute:

– Max, explique au *Guinness World Records* que tu es le super entraîneur personnel de Guillaume Gamache.

Il choisit plutôt de retourner à son travail d'entraîneur. Déçue de sa réaction, Geneviève fait aussitôt un gros plan de Guillaume en train de cracher une bouchée de banane.

Disons qu'elle a mal choisi son moment pour le zoom.

– Pus capable ! annonce alors Gamache.

– Hein ? fait Max, un peu paniqué.

– Peler, ça va, mais manger les vieilles bananes du dépanneur de monsieur Wong, j'en peux plus.

– Tu ne vas pas abandonner ?

– Tu es trop près du but, renchérit Geneviève, qui filme toujours. Continue !

C'est bien gentil de l'encourager, mais je sais qu'aucun de nous ne mangerait ces bananes non plus. Guillaume m'a expliqué que monsieur Wong commandite l'exploit en lui refilant ses bananes périmées. Tout un commanditaire!

– Accroche-toi! lui lance Max.

Geneviève fait un zoom rapide sur Max et lève le pouce pour lui indiquer qu'elle apprécie son intervention.

– Bon... d'accord, je continue... se résigne le brave Guillaume en prenant une nouvelle vieille banane.

– C'est ce que je voulais entendre, lui dit Max.

– Un véritable olympien... commente Ge, toujours derrière la caméra. Une merveille de détermination... Une explosion de savoir-faire...

Elle sait que ses commentaires sont enregistrés. Elle en met.

– C'est mon dernier essai! décide alors Guillaume.

– Dernier?

– Si je rate, c'est tant pis.

Guillaume tentera de battre le record ce soir! Pendant qu'on y est. Il dit qu'il est prêt. Il sent que demain, ce sera trop tard. Des mois qu'il s'empiffre de bananes... il n'en peut plus.

– C'est maintenant ou jamais...

– Qu'est-ce que tu dis, Guillaume? demande Ge.

– Je dis: c'est maintenant ou jamais.

– Répète-le plus fort et en fixant la caméra d'un air résolu, s'il te plaît.

Gamache ignore la caméra et s'installe. Max me tend le chrono et va masser les épaules de Guillaume. Geneviève cadre le chrono et celui qui détiendra peut-être un nouveau record du monde...

Silence dans le garage.

La caméra tourne. Tout va bien.

Max saisit la première banane.

Je me surprends à être nerveuse pour Guillaume. Nerveuse pour une histoire de bananes... c'est ridicule. L'amitié, c'est plus fort que tout, finalement.

C'est un départ.

Chrono.

Gamache, concentré comme jamais, pèle et bouffe une banane, lance la pelure. Max lui tend déjà la suivante, même manège, lance la pelure, mange la banane, et hop! la suivante! Quand la cinquième est avalée, j'arrête le chronomètre.

Max se rue sur moi. Sur le chrono, plutôt.

– COMBIEN ?

– 58 virgule 8 virgule 9 !

– YESSSSSSSSSSSSSSSS !

Les gars se sautent dans les bras. Ils hurlent qu'ils sont les meilleurs, puis ils s'arrêtent net et regardent Geneviève…

– Tu filmais, j'espère ? demande Max.

– Oui, monsieur ! Je n'ai rien perdu. Et on voit parfaitement le chrono. On a la preuve !!!

– Super !

– Tout est immortalisé ! s'énerve Geneviève. Reste seulement à faire un plan de…

Comment vous décrire le drame qui a suivi l'exploit de Gamache? En avançant vers Guillaume pour capter ses commentaires et faire un plan rapproché de la caisse de bananes, Geneviève a tout bêtement glissé sur une des nombreuses pelures qui tapissaient le plancher du garage. Rien de comique, croyez-moi. Rien à voir avec les numéros de clown, en tout cas. Une très mauvaise chute. En prime, devinez ce qui a volé cinq mètres plus loin?

– La caméraaaaaaa! j'ai aussitôt crié en me ruant sur l'appareil.

En fait, ce fut la première réaction de Max et Gamache aussi.

– Merci de vous inquiéter pour moi... gémissait Geneviève, pliée de douleur.

– Est-ce que ça va? demande Max. Rien de cassé?

– Je pense que c'est une foulure.

– Je parle à Laurence, Ge. On n'a pas perdu les images, j'espère ?

J'examine l'appareil.

– La caméra fait un bruit bizarre quand on la bouge. Un genre de cling.

– Cling ?

– On a les images, au moins ? demande Guillaume.

– Elle est un peu fendue ici. Ici aussi…

– Mais les images sont encore là, hein ?

– Sûrement, Guillaume… Je ne vois pas pourquoi le film serait effacé.

– Tant mieux, parce que je serais incapable de répéter l'exploit. Pour moi, les bananes, c'est fini pour la vie.

Reste à discuter d'un important problème… Je soulève la question:

– Qui va payer la réparation?

– Moi, fait Gamache. Avec une partie de l'argent que va m'offrir le *Guinness*…

Je soupire.

– Ma grand-mère te dirait que tu mets la charrue devant les bœufs, Guillaume!

– Ce n'est même pas une question de charrue et de bœufs! Tu n'auras pas un sou du *Guinness World Records*, annonce Geneviève.

Et pour appuyer ses dires, elle sort une feuille de sa poche de jeans et lit à haute voix un extrait de l'article qu'elle a imprimé tout juste avant de partir.

« Nos détenteurs de records ne cherchent pas à gagner de l'argent, mais à se fixer, à atteindre, à dépasser des objectifs, ainsi qu'à recevoir le certificat officiel de Guinness World Records... »

– Pas de récompense ? répète Guillaume.

– Un certificat. C'est tout.

– Pas d'argent ?

– Tu peux toujours encadrer le certificat.

– L'honneur, c'est pas rien, Guillaume ! Ayoye !

– Geneviève a raison, fait Max.

Dépité, Guillaume quitte le garage en se tenant le ventre. Max fait le ménage en bougonnant. Geneviève est incapable de bouger son poignet. Reste à faire réparer la caméra flambant neuve de l'école.

Je rentre chez moi en pensant qu'on a sûrement battu le record de la soirée la plus ratée, catégorie exploit humain…

Le verdict du technicien de la maison électronique Électro plus est catastrophique.

– Vous êtes absolument, absolument, absolument certain que toutes les images sont perdues ? répète encore Geneviève.

– Du digital, c'est du digital.

– Rien à faire ?

– Pas avec ce type de caméscope.

– Y a aucun technicien spécialisé en récupération d'images perdues qui peut faire ça ?

– Non.

– Nulle part au monde?

– Non.

– Pas même au Japon?

Il n'en peut plus. Ça se voit. Et moi, je m'informe, puisqu'il faudra tout de même rapporter la caméra à l'école:

– Ce sera combien pour la faire réparer?

– Le prix d'une neuve, rigole le technicien. Je ne répare pas ça.

– Vous êtes certain que…

Je tire Geneviève par la manche jusqu'à l'extérieur. Si ce n'est pas moi qui le fais, ce sera le technicien, je le sens.

Nous devons évidemment fournir quelques explications à monsieur Lépine. Alors on s'y met à quatre pour raconter l'aventure dans les moindres détails. Notre prof nous écoute. Sans aucune expression, sans dire un mot.

– C'est un accident tout bête… je tiens à préciser.

– Y avait des pelures partout, ajoute Geneviève.

– Dire qu'on avait réussi… bougonne Max.

– J'ai encore mal au cœur, se plaint Gamache, qui ne fait pas tellement avancer le dossier.

Monsieur Lépine nous regarde tous les quatre en soupirant:

– Et tout ça pour des prunes, si je comprends bien.

– Pour des bananes! je rectifie.

Nous retournons à nos pupitres. Monsieur Lépine commence son cours de maths et je me dis qu'on a intérêt à se comporter en élèves modèles, aujourd'hui. Je reste attentive. Je fais un effort surhumain.

Mais au bout d'un moment, Geneviève craque.

– Pssst! Laurence…

Je ne la regarde pas.

– Rendez-vous ce soir dans notre sous-sol…

– Pourquoi?

– Je commence l'entraînement avec les *jelly beans*. Tu vas m'aider, hein?

– Jamais de la vie.

– LAURENCE, GENEVIÈVE : DEVOIR SUPPLÉMENTAIRE!

YO

Le souper a été difficile.
J'ai dû noyer le pâté
chinois avec du ketchup.
Le pouding chômeur,
après, était correct.
Avec du lait, j'en ai
englouti deux briques.
Mais il me fallait avaler le
pire : 48 en même temps
sur un halfpipe, il faut
l'avouer, c'est impossible.

N'empêche que…

Comme d'habitude, Ré et moi, nous sommes assis en arrière. On monte dans un autobus scolaire, on court toujours au fond pour s'emparer de la longue banquette. C'est la meilleure place pour se faire du *fun*.

En fait, c'est rare qu'on prenne l'autobus scolaire. On demeure trop près de l'école. Mais là, on est en plein milieu de l'été et le bidule jaune nous amène encore une fois dans Portneuf, au lac de l'île Noire...

Au camp de vacances !

Les camps de vacances, ça ne nous emballe pas tellement. On commence à trouver ça bébé. Mais, cette fois-ci, c'est une semaine spéciale que le directeur a organisée. Un camp de planche à roulettes avec rien que des *skateux* comme nous autres ! En plus, le directeur a tenu sa promesse. Il a fait construire au bord du lac une rampe *halfpipe* aux dimensions olympiques.

J'ai de la misère à croire ça ! En tout cas, j'ai apporté mes « genoux », mes « coudes », mes « poignets » et ma « tête »...

Mon casque, je veux dire.

La route de terre est sinueuse, avec des creux et des bosses. On approche du lac. On approche du *halfpipe* !

Au fond de l'autobus, Ré et moi, on s'amuse à sauter pour amplifier les cahots du véhicule. On fait battre la queue de l'autobus à tel point que le tuyau d'échappement râpe le sol...

Soudain, un bruit de ferraille se fait entendre en dessous. Par son rétroviseur, le chauffeur nous fusille du regard. Au même instant, devant lui, dans le pare-brise, nous apparaît le lac, avec son île Noire au milieu, et son petit chalet dessus. Du coup, on arrête notre manège.

L'autobus se laisse descendre jusqu'au bord de l'eau, puis s'immobilise. Je ramasse mes affaires. En relevant les yeux, j'aperçois le *halfpipe* qui se découpe sur le lac. On serait dans un film de filles qu'une musique de coup de foudre se ferait entendre. Hypnotisé par la vision, je reste là, sans bouger, pendant que les autres gars, excités, descendent. Finalement, je me retrouve dehors le dernier, seul au monde, devant... l'objet!

Les jeunes sont alignés. Ça crie, ça parle. Moi, au bout de la rangée, je reste muet. Ré me donne des coups de coude :

– T'as-tu vu ça, Yo ?

Je n'entends rien. Je ne sens rien. Six monitrices nous font face. Je ne les vois même pas. Derrière elles s'élève un grand « U » auréolé de lumière. La seule personne que je vois, c'est moi, en train de virevolter sur ma planche, propulsé par les élans fulgurants que promettent les courbes de cet incroyable *halfpipe*.

Mes visions sont interrompues par le départ assourdissant de l'autobus, dont le silencieux est éventré. En entendant la pétarade de l'engin, Ré et moi, on entre la tête entre nos épaules. Vite, on reprend notre air innocent pour ne pas attirer l'attention pendant que le tintamarre se perd dans la forêt.

Le silence revenu, je vois que nous sommes une cinquantaine de *skateux* devant le lac. D'autres autobus sont arrivés avant nous. Les monitrices ne bronchent pas, les mains dans le dos. Ce sont les mêmes que l'autre fois. Je me rappelle leurs surnoms : Tweety, Dunky, Cooky, Fleecy, Queeny et Youppy. Je parie que chacune cache une grosse lettre derrière elle.

– Bonjour, tout le monde !

On se tourne vers un bonhomme que personne n'a vu venir. C'est le directeur du camp, monsieur Grondin, avec son éternelle petite moustache raide et ses lunettes tellement épaisses qu'elles lui font des yeux de Tête à claques. Toujours aussi chauve sur le dessus de la tête, le petit homme nous observe avec ses deux globes oculaires qui clignotent. Malgré son air bizarre, je l'aime bien, monsieur Grondin. Il a tenu sa promesse!

– Bienvenue au camp, commence-t-il.

Son discours n'a pas changé d'un poil. Comme sa moustache. Il est content de nous retrouver et bla-bla-bla. Pendant ce temps, moi, comme en classe quand mon prof parle trop longtemps, je «pogne un fixe» en regardant le soleil ricocher sur son crâne, qui dodeline doucement au centre du grand «U», derrière lui.

Ça lui fait comme deux ailes dans le dos.

Mais le temps passe et pas un mot sur la planche.

Il le fait exprès, ou quoi?

– Monsieur! je lance. Quand est-ce qu'on fait du *skate*?

Son crâne pivote dans ma direction et ses yeux s'immobilisent au centre des loupes qui lui servent de lunettes.

– Vous êtes 48, Yohann. Chacun son tour. Nous avons fait un horaire qui débutera demain.

– Demain! je m'écrie.

Ses paupières clignotent un grand coup, puis le crâne se retourne et la petite moustache poursuit son allocution, comme si de rien n'était.

À la fin, on doit sortir notre feuille d'inscription. Une lettre est inscrite dans un coin. Cette fois-ci, Ré et moi, on est chanceux, on a la même: «E».

Ça veut dire qu'on va dormir dans la même hutte, la «E».

Mais avec quelle monitrice?

Chacune a soulevé sa lettre cachée dans son dos. Une petite blonde un peu ronde brandit un beau gros «E».

– *Yessss*! je m'exclame.

Comme l'autre fois, Tweety va être ma monitrice. Je l'aime bien, elle. On a déjà composé une drôle de chanson *rap* ensemble. Mais, pour l'instant, Ré et moi, on doit se joindre aux six autres gars qui avaient la lettre «E» sur leur fiche, et suivre Tweety comme des petits canards suivant leur mère.

Drôles de canards... à casquettes!

Devant la hutte «E», Tweety nous demande de laisser nos planches dehors. À l'intérieur, quatre lits à deux étages nous attendent. Je jette mon sac à dos sur un matelas du bas. Ré s'installe en haut. On se regarde...

«Va falloir être patients!»

Mais moi, pas patient du tout, je lance:

– Tweety, quand est-ce qu'on *jumpe* dans le *halfpipe*?

– C'est affiché là, répond-elle en indiquant une feuille collée au mur.

On se rue dessus. Le premier en avant, c'est moi. L'horaire est rempli de lettres, de «A» à «F». Chacune apparaît deux fois. La «E», ce sera mercredi avant-midi et vendredi après-midi...

Pas de *halfpipe* pour nous autres avant trois jours!

Ré et moi, on se regarde encore.

«C'est pas vrai!»

Le souper a été difficile. J'ai dû noyer le pâté chinois avec du ketchup. Le pouding chômeur, après, était correct. Avec du lait, j'en ai englouti deux briques. Mais il me fallait avaler le pire : 48 en même temps sur un *halfpipe*, il faut l'avouer, c'est impossible.

N'empêche que...

La soirée m'a aidé à digérer : grand rassemblement avec les six monitrices autour d'un feu de camp. Comme l'autre fois, Youppy a chanté des chansons *pop*, accompagnée par Tweety à la guitare, par la grande Dunky au tam-tam,

Cooky aux œufs, Fleecy à la planche à laver et Queeny à la casserole... Tout un orchestre !

Les nouveaux étaient surpris et le temps passait bien. Le soleil descendait derrière les montagnes. L'île, avec la silhouette du petit chalet, devenait de plus en plus noire. Parfois, je jetais un coup d'œil vers le *halfpipe*, majestueux, qui s'élevait dans un ciel se remplissant d'étoiles. Puis je regardais Ré, qui regardait la même chose que moi... et qui pensait la même chose aussi, je le sais maintenant...

Cette nuit, on allait...

Mais nos pensées ont été stoppées par le numéro de Cooky.

Cooky, c'est la monitrice qui rythmait les chansons de Youppy en secouant deux œufs en plastique avec des cailloux dedans. Une fille toute menue. Si elle n'avait pas une fleur jaune dans les cheveux, elle aurait l'air d'un «p'tit cul» comme nous autres. Mais là, dans ses mains, ce n'était plus deux œufs qu'elle tenait, c'était deux yo-yo!

Elle s'est avancée au milieu de notre rassemblement de *skateux*. Là, sans avertissement, elle a lancé ses deux yo-yo droit devant elle, puis, d'un mouvement sec des doigts sur les cordes, les a fait revenir dans ses mains... le tout en une fraction de seconde...

On a eu juste le temps de voir deux flashs!

Et avant qu'on comprenne ce qui se passait, elle relançait ses yo-yo, cette fois-ci l'un après l'autre, pour les faire virevolter devant elle, à sa droite, à sa gauche, au-dessus de sa tête.

C'était tellement rapide que nous, à cause du feu de camp, on voyait rien que des ovales lumineux. Ses mains, souples et vives, dansaient en parfait synchronisme. Les deux rondelles dessinaient des arabesques au-dessus de nos têtes...

Puis, changeant de rythme, les mains de Cooky se sont mises à tournoyer autrement et les yo-yo à dessiner de grands cercles parfaits. On aurait dit deux anneaux de feu.

– Ça, lance alors Tweety, ça s'appelle le Tour du monde.

Soudain, grâce à un mouvement rapide des bras, Cooky a immobilisé ses deux yo-yo au bout de leur corde, de chaque côté de ses chevilles...

Inertes et lumineuses, les rondelles pendaient, comme mortes. Elles « dormaient ». Pendant une minute,

Cooky nous a souri, comme ça, en soutenant, par le bout de ses majeurs, les deux petits pendules. Tout à coup, avec ses pouces, elle a pincé les cordes, comme celles d'une guitare, et les deux yo-yo lui sont remontés dans les mains. Puis elle a salué.

Tout le monde s'est levé pour applaudir en scandant:

– Yo! Yo!... Yo! Yo!...

Ça m'a surpris d'entendre crier mon nom comme ça. Cooky a alors empoché un des yo-yo et s'est immédiatement exécutée avec l'autre.

Pendant que Tweety donnait le nom des trucs, elle nous a fait «Le trapèze», «Le gyroscope», «L'ascenseur» et «La balançoire». Puis, elle nous a fait «Sauter la clôture», «Décrocher la Lune» et «Traire la vache». Ensuite, pendant que son yo-yo « dormait » en dessous, elle nous a tricoté « La tour Eiffel » au grand complet.

Pour la finale, Cooky s'est mise à faire danser ses deux yo-yo devant elle. Comment arrivait-elle à ne pas emmêler les cordes ? Impossible de voir tant les yo-yo filaient vite et bondissaient dans tous les sens. Enfin, l'étourdissante voltige s'est arrêtée quand les deux rondelles lui sont revenues dans les mains...

Wow ! Le yo-yo, il faut que j'essaie ça, un jour !

Mais là, pour l'instant, c'est le *halfpipe* que je veux essayer.

Cette nuit !

Après le numéro de Cooky, Tweety a fait un clin d'œil aux anciens. Puis elle a annoncé aux nouveaux que la grande Dunky, au tam-tam, allait leur raconter l'histoire de l'île Noire, là-bas, au milieu du lac. Ré et moi, on la connaissait, la « terrifiante-légende-de-l'ogre », mais ça nous a amusés de l'entendre encore et de faire semblant d'avoir peur quand la fenêtre du chalet sur l'île s'est allumée... et quand le grand coup a retenti en écho dans les montagnes.

Vraiment, Dunky et les autres ont amélioré la mise en scène de leur histoire d'horreur. Les nouveaux semblaient impressionnés.

De mon côté, je me demandais s'il y aurait un gars, comme moi l'autre fois, qui allait, cette nuit-là, tenter d'aller voir en cachette ce qui se passait réellement sur l'île Noire.

Non. Personne en vue. Ré et moi, on est seuls dans la nuit avec nos *skates*. Tout le camp semble endormi et on est accroupis au bord du lac, dans l'ombre du *halfpipe*. On attend.

Soudain, sur l'île, le chalet s'éteint. Minuit! Tout se passe comme prévu. En plus, il vente fort et pas un seul nuage dans le ciel. Parfait! Le bruit des feuilles va nous couvrir, et la lune, pleine et haute, nous servira de *spot*...

On n'allait certainement pas attendre mercredi pour profiter du *halfpipe*!

Ce sera ma deuxième folie. Tant pis. Cette fois-ci, je la fais avec Ré. Les affaires défendues, ça nous excite, mon ami et moi. Le pire qui pourrait nous arriver, c'est qu'une monitrice se réveille et nous oblige à rentrer et que monsieur Grondin nous gronde demain matin...

Mais soyons prudents. Le pire, c'est rarement ce qu'on prévoit.

– Tu y vas? je chuchote.

– Non, Yo, toi d'abord. C'est ton idée.

On ne va pas discuter toute la nuit.

– Bon, d'accord. Tu restes là et tu surveilles le camp. Si une lumière s'allume, tu m'avertis...

– O.K.

Tel un chat, je contourne la rampe et grimpe à l'intérieur du grand «U». Doucement, je dépose mon *skate* sur le revêtement neuf. J'espère que les planches sont solidement vissées et qu'elles ne craqueront pas. En tout cas, mes roulettes sont bien huilées.

Le cœur me débat. Malgré le bruit des feuilles, j'entends mon pouls dans mes oreilles. Je ne vois plus le camp. Je ne peux voir que le lac avec sa petite île au milieu, et son chalet éteint...

« L'ogre » est endormi.

Je pose un pied sur ma planche et, de l'autre, j'applique au sol une petite poussée... je m'élève un peu dans la pente... au bout de mon élan, je me sens léger... puis, redescendant, je transfère mon poids sur ma planche afin de remonter un peu plus haut de l'autre côté... et je recommence... chaque fois un peu plus haut... tout va bien... la rampe, solidement assemblée, est silencieuse... mes roulettes ronronnent sous mes pieds... je vais bientôt atteindre les sommets du grand «U», dont la lune souligne la belle courbe... je me sens en parfaite maîtrise de mes va-et-vient... comme si j'étais debout sur une grande balançoire accrochée au ciel... et ma planche s'élance enfin dans le vide... d'une main, je la «grabe»... mes roulettes ne touchent plus rien... je pivote... et j'atterris en douceur vers une nouvelle envolée... comme un pendule, je rythme le temps qui passe... la tête vide à l'intérieur du *halfpipe*, je trace de longs «8» à l'infini.

Au bout d'un moment, je pense à mon ami Ré, toujours en train de surveiller le camp, et je me pose en douceur sur un des sommets du grand «U». Là, je me couche sur le ventre. Je domine tous les environs.

Là-bas, le camp semble toujours endormi. Sur le lac, l'île est plus noire que jamais. J'avance ma tête au bord de la rampe.

– Ré! Ça va? je chuchote.

– C'est bientôt mon tour?

– Oui, oui, viens. J'descends.

Je me relève et, en me penchant vers mon *skate*, je sursaute. Il y a une ombre qui flotte sur l'eau, au pied du *halfpipe*. Une chaloupe! Et dans la chaloupe, j'aperçois «l'ogre», dont les yeux ronds et blancs me fixent!

En fait, ce ne sont pas des yeux, mais des lunettes reflétant la pleine lune… les lunettes de monsieur Grondin, qui me regarde en silence, les poings sur les hanches, la moustache raide et le crâne luisant.

Ébranlé, je remonte sur mon *skate*. Sous le regard immuable du directeur, je m'apprête à faire ma dernière descente. Je fais basculer ma planche sur le rebord du *halfpipe* et je plonge dans le grand « U »... mais mes roulettes arrière s'accrochent sur l'arête. Je n'ai plus rien sous les pieds. Je tombe et ma semelle gauche adhère à la paroi de la rampe. Je sens une vive douleur à la cheville et je déboule jusqu'au fond. Aïe ! Je me relève sur un pied et je vais ramasser mon *skate* en sautillant...

Finalement, devant le silence interminable du directeur, je propose :

– Si vous êtes d'accord, monsieur Grondin, Rémi et moi, on va aller se coucher.

Aucune réponse. Avec précaution, je descends du *halfpipe* en posant mon bon pied sur l'herbe. Ré est là, à côté, immobile et aussi coupable que moi. Je le rejoins en boitant.

– C'est rien, monsieur, je dis. Me suis viré le pied. On s'en va se coucher.

Aucune réponse.

Honteux, on se dirige vers la hutte « E ». Propulsée par un petit moteur électrique silencieux, la chaloupe du directeur nous suit le long de la rive.

– J'l'ai pas vu venir, me chuchote Ré.

Avec ma cheville qui me fait mal, je me sens frustré.

– Tu la connaissais, pourtant, l'histoire de Dunky ! Tu le savais, que l'ogre, c'était monsieur Grondin !

– Il a pas allumé une seule lumière. Pis à cause du vent, j'ai pas entendu son moteur.

J'ai trop mal à la cheville pour discuter.

On replace nos planches contre le mur de la hutte. Sur le lac, la chaloupe s'est arrêtée. «L'ogre» attend. Il nous mange des yeux. Tête basse, on entre et, au son des ronflements de Tweety, on regagne notre lit et on s'enfouit dans notre sac de couchage.

Ce matin, j'ai la cheville enflée. Tweety s'en est aperçue. La panique!

Dix minutes plus tard, je suis étendu sur le lit de l'infirmerie, la jambe soulevée par trois oreillers et le pied enveloppé dans la glace.

– Interdit de bouger! m'ordonne Tweety. Monsieur Grondin s'en vient.

Tweety disparue, le directeur apparaît dans la porte, la moustache plus raide que jamais. Il s'approche. Ses gros yeux m'examinent à la loupe.

– J'ai appelé tes parents, m'annonce-t-il, mais ils étaient partis. C'est ta grand-mère qui a répondu…

– Do! je m'exclame.

– Donalda. C'est le prénom qu'elle m'a donné. C'est elle qui va te ramener en ville.

– Vous me mettez à la porte du camp, c'est ça?

– Il faut que tu consultes un docteur. Ta cheville est peut-être cassée. Après, on verra. Pour l'instant, tu ne bouges pas de là. Ta grand-mère devrait arriver dans une heure.

Une demi-heure plus tard, j'entends une auto freiner devant l'infirmerie. Dans la fenêtre, un nuage de poussière s'élève.

– Do!

La porte s'ouvre.

– Mon p'tit Yohann! Qu'est-ce qui t'arrive?

– Rien… une niaiserie.

– Montre-moi ça.

Déjà, elle enlève la serviette et les sacs de glace. Ses yeux bleus, qui ont vu le monde entier, examinent ma pauvre cheville qui, elle aussi, est un peu bleue... mais avec des reflets verts.

– Mouais! dit-elle enfin, l'air dubitatif. Je t'emmène avec moi. Ils ont des béquilles, ici?

Avec la bénédiction du directeur, je quitte le camp en béquilles. Do me désigne sa vieille Coccinelle. Cette fois, elle est toute noire avec une large bande blanche qui la fend en deux, d'avant en arrière. Sur chaque côté, un gros «19» blanc est inscrit...

Do a encore peinturé son antiquité des années 1960!

Tant bien que mal, je m'installe sur le siège du passager. Do saute à sa place et tourne la clé. Le moteur, derrière, vrombit. Vivement, elle pousse le bras de vitesse, puis embraye en levant le pied gauche et en enfonçant le pied droit. Les roues virent en dessous, soulevant un épais nuage de poussière. Je me retourne. Dans la lunette arrière, tout le camp a disparu, *halfpipe* compris. Déjà, nous nous enfonçons en grondant dans la forêt.

– Regarde, me lance-t-elle en dérapant savamment dans les courbes, mon GPS indique qu'il y a un hôpital pas loin, à Saint-Raymond. Prends mon *cell* et compose le numéro sur l'écran.

Éberlué, je m'exécute. Immédiatement, ça sonne dans la Coccinelle. Quelqu'un répond:

– Ici l'hôpit...

– J'arrive à l'urgence avec un p'tit gars qui a peut-être une fracture, crie Do. Ça va prendre une radiographie... vous faites ça?

– Oui, mad…

– J'arrive dans 10 minutes, tranche-t-elle en coupant la communication.

Le GPS, pourtant, indique 18 minutes !

On est arrivé en neuf minutes, mais il nous a fallu attendre une heure avant d'être vus par le médecin… et une autre heure pour le diagnostic : pas de fracture, simple entorse. Remèdes : glace, acétaminophène au besoin, bandage, pied surélevé et immobilisation totale pendant deux semaines !

À ces mots, Do me voit blêmir. J'ai envie de brailler.

– Ça donne rien de me ramener au camp, je dis.

– Oui, Yo, on retourne au camp. J'avais juste besoin de savoir si t'avais une fracture.

À coups de béquilles, je rejoins la « 19 ». Renfrogné, je ne comprends pas pourquoi Do me ramène au camp. Un moment donné, elle m'explique qu'elle a été, jadis, ostéopathe.

– Tu soignes les os des pattes?

– Pas rien que les pattes, me répond-elle en souriant. Tout le squelette! J'ai été psychothérapeute aussi… un peu.

Je lui fais confiance. Je la questionne au sujet du numéro « 19 ». C'est là que j'apprends qu'elle va participer cette semaine, pas loin dans Portneuf, à un rallye automobile de trois jours.

Tu parles!

En freinant devant la bâtisse de l'infirmerie, Do a encore fait disparaître le monde entier. Émergeant du nuage, on s'est retrouvés devant un monsieur Grondin empoussiéré.

Il enlève ses lunettes pour les nettoyer et je m'aperçois qu'il a les yeux d'une grandeur normale. Par contre, sans verres, sa tête et sa moustache me paraissent plus grosses. En tout cas, il nous reçoit chaleureusement et s'informe de moi auprès de Do, qui m'invite à remonter à l'infirmerie pendant qu'elle discute avec le directeur.

Crispé, me revoilà couché : immobilité totale pour deux semaines !

Do manipule ma cheville pendant que je me répète : « Plus handicapé que moi, t'es mort ! »

– Yo! Serre pas les orteils comme ça... laisse ton pied mou... détends-toi, ça va m'aider... concentre-toi sur mes mains et dis-moi ce que tu ressens...

Do est partie et je marche sur mes deux pieds. Sans béquilles.

Prudemment, j'arpente l'infirmerie de long en large. Ma cheville est encore sensible, mais je marche! Pendant une heure, j'ai écouté Do. J'ai fait tout ce qu'elle m'a dit pendant qu'elle replaçait mes petits os de pied et massait mes ligaments. Avant de partir, elle m'a expliqué:

– Tu dois écouter ta cheville et lui obéir... faire tout ce qu'elle te dira. Elle a besoin de bouger, mais il faut que tu la respectes. Ne lui en demande jamais trop... par contre, il faut toujours lui en demander un peu plus, tu comprends?... Juste ce dont elle est capable...

Puis elle a résumé:

– Le défi, c'est de ne jamais oublier ta cheville... de ne jamais être distrait!

– Mercredi, je vais pouvoir faire de la planche?

– Interdit! tranche-t-elle.

– Et vendredi?

– On verra... mon rallye finit vendredi matin... je reviendrai.

Dans un tourbillon de poussière, Do est repartie dans sa « 19 » et moi, depuis cinq minutes, j'écoute ma cheville. Pas facile. J'ai juste envie d'aller courir dehors.

Soudain, on cogne à la porte. C'est Cooky avec un plateau et sa fleur jaune dans les cheveux.

– J't'apporte ton dîner, Yo. J'te dépose ça là. J'dois y aller. Les gars m'attendent...

– C'est leur tour pour le *halfpipe*?

– Euh... ouais... j'suis désolée pour toi.

– Pas grave. C'est ma faute.

– En tout cas, me dit-elle en s'en allant, j'espère que le dîner va te plaire.

Je ne l'écoute pas. Moi, c'est ma cheville que je dois écouter.

Franchement, tout le temps penser à sa cheville, ça n'a pas de bon sens!

Je m'installe devant mon dîner. J'examine le contenu du plateau. Soupe: crème de tomates et biscuits soda. Mets principal: *hot chicken* avec pois verts et carottes... même pas de frites! Dessert: carré aux dattes avec un verre de lait... La déprime, quoi.

Soudain, mon regard s'arrête sur un objet luisant et rond, posé dans le coin du plateau. C'est une jolie petite rondelle double, avec une corde enroulée au milieu!

Au début de la semaine, à cause des bandages et de la glace, j'ai dormi à l'infirmerie. Le jour, tout ce que je pouvais faire, c'est un peu de bricolage avec du matériel que Tweety m'apportait. Je me sentais comme à la maternelle. J'ai essayé de lire aussi, mais les monitrices avaient seulement des livres de filles à me prêter. J'ai joué un peu avec le yo-yo que Cooky avait laissé dans le plateau. Finalement, c'est ça qui m'a le mieux aidé à passer le temps. Mardi soir, déjà, ma cheville n'était plus enflée et elle avait retrouvé sa couleur normale.

Mercredi matin, j'ai rejoint Ré et les autres *skateux* de la hutte E. Ils étaient excités. C'était leur première demi-journée de *halfpipe*! Moi, évidemment, j'ai poireauté à côté. J'ai trouvé ça dur.

Ce qui m'a consolé, c'était de voir Ré qui s'en donnait à cœur joie. Il a étonné tout le monde en réussissant un «trois-soixante» pas mal haut. Ré est le meilleur planchiste de la hutte. Les autres n'arrivaient pas à atteindre le haut du «U». Il y avait même un «p'tit cul» qui ne faisait qu'aller et venir dans le fond...

C'est à ce moment-là que j'ai eu mon idée!

Tout le reste de la semaine, j'ai soigné ma cheville en suivant les conseils de Do. Très vite, je suis arrivé à y penser tout le temps, même en faisant autre chose.

Do me l'avait dit:

– Une cheville, ça veut marcher, ça veut courir, c'est fait pour ça.

– Surtout la mienne! j'avais répondu.

Alors, prudemment, j'ai continué à marcher... et je me suis appuyé de plus en plus fermement sur mon pied... jusqu'à ce que ma cheville m'avertisse d'arrêter. Alors, j'obéissais et je la laissais se reposer.

Finalement, la semaine est passée vite. Je participais à toutes les activités tranquilles avec Tweety et les gars de la «E». Mais surtout, j'avais mon idée secrète, qui me réjouissait d'avance.

. Des fois, Ré me demandait:

– Qu'est-ce que t'as à sourire tout l'temps comme ça?

– Rien. J'me sens bien... ma cheville va mieux.

À l'intérieur, j'étais vraiment très excité.

Vendredi.

Les gars de ma hutte sont réunis devant le *halfpipe* pour leur dernière demi-journée de *skate*. Tweety donne les consignes. Je n'écoute pas. Un peu à l'écart, je surveille le chemin qui aboutit au camp...

Rien.

Tour à tour, les *skateux* de la «E» montent dans le «U». Chacun s'est amélioré, même le «p'tit cul» qui restait au fond mercredi.

C'est au tour de Ré. Encore une fois, il est flamboyant. Soudain, j'entends un bruit de moteur assourdi par la forêt. Je me retourne. Une petite bombe surgit entre les arbres et s'immobilise en dérapant devant l'infirmerie. Une fois le nuage dissipé, j'aperçois Do, debout à côté de sa Coccinelle. Elle est toute couverte de boue séchée…

La Coccinelle, je veux dire.

On distingue à peine son « 19 » !

– Do ! je crie.

Elle accourt.

– T'as gagné ton rallye ? je demande.

– Huitième sur 54… pas mal. Et toi, ta cheville ?

– J'pense que c'est guéri.

– Montre-moi ça.

Je m'assois par terre et je me déchausse. Do s'accroupit et saisit mon pied. Délicatement d'abord, puis de plus en plus rudement, elle le fait tourner dans tous les sens en observant si je grimace. Pas de problème. Je le sais, je le sens, je suis prêt! Mais avant, je dois écouter Do, comme j'ai écouté ma cheville toute la semaine.

– Vraiment, mon p'tit Yo, tu m'impressionnes. T'as suivi tous mes conseils. La guérison est presque complète.

Vite, je me rechausse.

Puis je lui tire le bras afin de lui chuchoter mon idée à l'oreille. Se relevant, elle me sourit. Elle s'en va chuchoter mon secret à Tweety, qui me fait signe qu'elle est d'accord, elle aussi. Je peux y aller!

Je m'approche du *halfpipe* et j'y dépose mon *skate*. Les gars de la «E»

sont surpris et Ré semble inquiet. Avec précaution, je grimpe dans le «U», et je pose un pied sur ma planche...

Je m'avance vers le centre. Là, je freine en écrasant le talon du *skate*. Puis je tourne le *nose* dans le sens du grand «U».

Enfin, doucement, je m'élance...

J'exécute quelques va-et-vient au fond du *halfpipe*. Comme un pendule, je me balance mollement en faisant face aux gars, en bas, qui m'observent, intrigués. Derrière eux, j'aperçois Tweety et Do... auxquelles se sont ajoutés Cooky et monsieur Grondin!

C'est le moment!

J'enfonce mes mains dans mes poches et j'enfile les cordes sur mes majeurs, puis je projette deux yo-yo devant moi pour quelques vigoureux *loops*, suivis de trois grands «Tours du monde». Tout en continuant à me balancer doucement sur ma planche, je rappelle les yo-yo, qui me sautent dans les mains... et je les relance aussitôt vers le bas pour les faire «dormir» de chaque côté de mes chevilles... longtemps.

Les rondelles tourbillonnantes frôlent mon *skate*. Devant moi, le groupe éberlué tangue d'un côté, puis de l'autre. Je rappelle alors un des yo-yo et l'enfouis dans ma poche. Tout de suite, avec l'autre, j'exécute un Trapèze, un Gyroscope et un Ascenseur. Puis, je «saute la clôture», «trais la vache» et «décroche la Lune». Pour finir, alors que ma planche roule encore un peu sous mes pieds, je leur tricote un beau pont de Québec au grand complet... puis, au moment où ma planche s'immobilise, je laisse le pont s'effondrer. Mon yo-yo percute le fond du *halfpipe* et me rebondit dans la main, au-dessus de ma tête.

Aussitôt, les cris et les applaudissements fusent. Avec précaution, je descends de mon skate pour saluer. Enfin, pour remercier Cooky qui m'a enseigné tous ces trucs en cachette, je sors de ma poche une fleur jaune que je me suis bricolée à l'infirmerie... et je me la plante dans les cheveux!

Yo!

DAPHNÉ

Essayez de vous imaginer posté au supermarché mardi, mercredi et possiblement lundi, toute votre attention fixée sur les 150 personnes qui défilent à la caisse, en espérant repérer celle qui donne à l'un de vos meilleurs amis un regard de poisson.

Hector est amoureux. Ça devait arriver, bien entendu. Je me demandais seulement *quand* cela arriverait. Vous connaissez Hector? C'est mon voisin. Un gros et grand bonhomme débordant de vitalité, avec des muscles impressionnants, une queue de cheval qui ferait l'envie des plus difficiles pur-sang et des sentiments à revendre. Sur son bras gauche, il y a un énorme tatouage montrant un cœur rose recouvert de lierre avec l'inscription: «Je meurs ou je m'attache».

Et aujourd'hui, tout cela, ce généreux assemblage de muscles et d'émotions, eh bien, tout cela est amoureux pour la première fois de sa vie. Et ce gros amoureux me demande de l'aider à obtenir les faveurs de l'élue.

Méchant défi!

– Comment elle s'appelle?

– Ché pas.

– Bon début. À quoi elle ressemble?

Regard de pure panique.

– À quoi elle ressemble?

J'ai bien peur que mon ami fasse partie des gens dont le sens de l'observation est peu aiguisé.

– Oui, Hector. Quand on cherche quelqu'un, savoir à quoi il ressemble peut éventuellement aider à le trouver.

Silence (lui). Soupir (moi).

– Elle a deux bras, hésite Hector. Deux jambes. Des épaules. Un cou... Ouais.

Soupir (lui et moi).

– Elle est belle?

Moue vague.

– Moyenne-
ment...

– Moyenne-
ment *comment*?

Silence (lui). Impatience crois-
sante (moi).

– Hector ! Dis quelque chose ! Je peux pas t'aider si tu m'aides pas !

– Ben... Qu'est-ce que tu veux que je te dise ? C'est pas quelqu'un qu'on remarque tout de suite, comprends-tu ? Elle n'est pas frappante, pas au sens où quelqu'un nous frappe au premier coup d'œil, tu sais bien, le coup de tonnerre, le monde qui s'écroule...

– Ouais. Je connais. Pas de coup de tonnerre, donc.

– Non, murmure Hector. Juste un petit éclair.

Il a son regard flou, un peu idiot, comme quand sa chienne Solange fait des finesses.

– Elle est grande ? Petite ? Blonde ? Brune ?

– Grandeur moyenne, je dirais. Taille... euh... comme ça, explique-t-il en élevant approximativement, très approximativement la main à la hauteur de son cou. Ni blonde ni franchement brune, entre les deux... je crois.

– Enfin une description précise. L'enquête progresse, je le sens.

Lueur d'espoir dans l'œil de mon ami.

– Tu crois ?

Quand on ne saisit même plus l'ironie, c'est que ça va mal.

– Tout ce que je peux te dire, Daphné, c'est qu'il n'y en a pas deux comme elle.

Elle a tout moyen, pas de couleur précise, pas encore de nom et il n'y en a pas deux comme elle. Cherchez l'erreur.

– Tu l'as vue combien de fois ?

– Une seule, ça m'a suffi.

Retour en force du regard obnubilé.

– Où?

– Au supermarché.

– Au supermarché?

– Ben oui. Elle mange, figure-toi.

– Quel jour c'était?

– Quel jour c'était quoi?

Soupir (toujours lui). Exaspération (vous savez qui).

– LE SUPERMARCHÉ, HECTOR!

– Oh!

Il réfléchit, ou il en a l'air.

– Mmm... mardi... ou mercredi... À moins que ce soit lundi. Par là.

Essayez de vous imaginer posté au supermarché mardi, mercredi et possiblement lundi, toute votre attention fixée sur les 150 personnes qui défilent à la caisse, en espérant repérer celle qui donne à l'un de vos meilleurs amis un regard de poisson.

– Tu lui as parlé ?

– Ben non, pourquoi j'aurais fait ça ? Je ne la connais pas.

Courte pause. Le visage qui s'illumine.

– Mais je l'ai suivie !

– Ah bon ?

– Jusqu'à la bibliothèque. Elle est entrée dans la bibliothèque.

Il me regarde en hochant la tête, comme si le fait qu'elle soit entrée dans une bibliothèque était la solution à tous ses problèmes.

– Tu es entré aussi, j'espère.

– Ben non, pourquoi j'aurais fait ça ?

– Pour faire connaissance, entre autres.

– Ben non.

Un observateur attentif aura certainement compris qu'en dehors de son piètre sens de l'observation, mon ami Hector souffre de timidité maladive, handicap qui englobe autant les gens que les institutions.

– Mais toi, tu peux entrer dans la bibliothèque! s'exclame Hector.

– Tout le monde peut entrer dans une bibliothèque, Hector. J'ajouterais même que les bibliothèques sont faites pour ça!

Il glisse ses deux mains jointes entre ses genoux et rougit.

– Tout est tellement silencieux là-dedans, tellement feutré, tellement rempli de livres... Moi, je suis plutôt du genre bruyant, vois-tu, pas tellement feutré... Je suis un grand timide, tu le sais, Daphné.

– Et je fais quoi, moi?

– Ben, tu pourrais aller là-bas, lui parler, servir de... de médiatrice entre elle et moi.

– Il faudrait d'abord que je la *trouve*, Hector

– Facile! Y a pas grand monde dans une bibliothèque.

– Comment tu le sais? Tu n'y vas jamais. Y a plein de monde dans une bibliothèque!

– Oh! Mais tu vas la reconnaître, Daphné. Avec la description que je t'en ai faite, tu ne peux pas te tromper. Et puis, tu connais mes goûts, tu vas avoir un déclic, toi aussi, j'en suis sûr.

Mieux vaut entendre ça qu'être sourde.

– Si ton déclic se produit, je reprends patiemment, qu'est-ce que je fais? Je me pointe devant la dame et je lui annonce qu'elle a un soupirant et que ledit soupirant soupire tellement fort qu'il en oublie son travail et délaisse tout le monde, à commencer par Solange, qui donne de sérieux signes de mélancolie anxieuse?

– Ben... ouais. Ça pourrait aller. En précisant que Solange est mon chien, bien entendu.

– Bien entendu.

– Et sans trop insister sur sa mélancolie, hein? D'ailleurs, elle n'est pas si triste que ça, Solange.

– Elle s'ennuie à mourir, Hector.

– Moi aussi.

– Elle a déjà bouffé la moitié du paillasson à l'entrée de ton immeuble.

– Elle avait une petite fringale. J'avais oublié de la nourrir.

– Tu dois la sortir, la faire courir, elle devient neurasthénique.

– Moi aussi, je deviens neurasthénique. Moi aussi, j'aimerais bien que quelqu'un me fasse sortir, me fasse courir.

– Secoue-toi, Hector. Regarde, le printemps est revenu, il fait un temps superbe.

– Le printemps, le printemps... C'est sa faute si je suis dans cet état. Au printemps, l'atmosphère est saturée d'hormones. Elles se promènent partout et nous tourmentent. Eh bien, cette année, c'est moi qu'elles ont choisi, elles se sont donné le mot pour me tomber dessus.

– Qu'est-ce que tu peux me dire d'autre sur elle, Hector? N'importe quoi.

– Rien de rien, Daphné. Je l'ai vue une fois seulement. Mais elle aime les livres et toi aussi, alors…

Je l'ai planté là parce que c'était partir ou l'étrangler.

J'ai donc sorti la neurasthénique Solange et ensemble nous avons marché jusqu'à la bibliothèque. Si la dame y travaillait, j'avais une chance de la trouver. Si elle était une cliente, je n'en avais aucune.

J'ai attaché Solange au support à vélos et je suis entrée. Une quinzaine de personnes étaient installées aux tables, le nez plongé dans leur livre. Je les ai rapidement passées en revue, en ayant à l'esprit la description fournie par Hector.

Sur les 15 personnes présentes, j'ai dénombré neuf têtes châtaines, dont cinq appartenaient à des dames d'âge mûr, deux à des adolescents, les deux dernières à des hommes. Quant à la personne qui travaillait derrière le comptoir de prêt, elle avait le visage couperosé, le cheveu rare et accusait au moins la soixantaine. Je me suis approchée.

– Bonjour.

– Bonjour.

– L'autre jour, j'ai parlé à une autre bibliothécaire qui avait...

La dame s'est raidie un brin.

– Je suis la seule bibliothécaire, ici.

– Oh !

– Turnbull, Marguerite Turnbull, a-t-elle précisé en détachant les syllabes.

J'ai beau fréquenter les bibliothèques, je ne connais pas toutes les subtilités du métier. Encore moins les noms.

– Tu dois parler d'une technicienne en documentation, a repris Mme Turnbull sur un ton plus doux. Il y en a plusieurs, ici.

– Mmm… Taille moyenne, ni blonde ni franchement brune…

– Mme Bonneteau, Mme Loignon, Mme Corriveau.

– Belle, mais pas trop, ai-je ajouté.

– Mme Bonneteau, Mme Loignon, Mme Corriveau.

C'était mieux que rien.

– Mme Bonneteau travaille le mardi et le jeudi, de 9 heures à 17 heures, Mme Loignon, le lundi et le mercredi, aux mêmes heures, et Mme Corriveau, le vendredi.

On était mardi, 16 h 49.

– Euh… je pourrais voir Mme Bonneteau ?

– Là-bas, a fait Mme Turnbull en me
désignant la section *Documentaires*.

Je me suis dirigée vers l'endroit
indiqué. Il n'y avait personne. J'ai tout
de même parcouru les allées en me
disant que Mme Bonneteau était peut-
être allée prendre un café et reviendrait
bientôt. Mon attention a été attirée
par un gros volume légèrement en
retrait des autres et ayant pour titre :
*Traité d'économétrie appliquée aux ongulés
sauvages de la période tertiaire.*

– Je peux t'aider ?

Je me suis retournée en bloc et je me
suis retrouvée devant celle qui, en toute
logique, était la dénommée Bonneteau.

– Euh…

Je n'avais rien préparé. Quand je disais que je voulais *voir* Mme Bonneteau, c'était vraiment voir et pas autre chose. J'étais seulement venue en éclaireur pour préparer le terrain, essayer de trouver la personne ou du moins réduire l'éventail des candidates possibles. Une fois «raisonnablement» sûre de mon choix, je ferais venir Hector pour confirmation.

Mme Bonneteau ne répondait pas vraiment à la description donnée. Ni grande ni franchement petite, elle avait effectivement les cheveux châtains et elle était plutôt jolie, mais elle se déplaçait en fauteuil roulant et il me semble que ce détail n'aurait pas échappé à Hector, si amoureux et distrait soit-il. Sauf qu'en attendant, il fallait dire quelque chose.

– Euh... ce truc, cette chaise... c'est accidentel ou de naissance?

Désolant, franchement! Mais la dame ne s'est pas offusquée.

– Un bête accident. L'autre jour, au supermarché, j'ai glissé. Une dame venait d'échapper un litre d'huile d'olive par terre et moi, je regardais ailleurs. Je pourrais utiliser des béquilles, mais j'ai trop peur, je vois de l'huile d'olive partout. Alors on m'a proposé ce... truc, comme tu dis.

Elle a souri, deux petits creux sont apparus au milieu de ses joues. Si on ne retrouvait pas la flamme d'Hector ou si elle était moins bien que cette Bonneteau, je pourrais peut-être la lui présenter.

– Et c'était quand?

– Oh! Il y a plus d'un mois. Je vais remarcher bientôt.

Je me détournais pour partir quand elle a dit :

– Rien d'autre?

J'ai hésité.

– Euh… oui. Une question: vous avez quelqu'un?

– Pardon?

– Euh… dans la vie, vous êtes amoureuse? Ou mariée?

Ses sourcils se sont haussés en deux accents circonflexes particulièrement aigus.

– Un peu les deux. Pourquoi?

J'ai haussé les épaules.

– Pour rien.

J'ai préféré m'enfuir.

Forte de cette première expérience comme enquêteuse, je suis retournée à la bibliothèque le lendemain, toujours accompagnée de Solange et toujours à la même heure : 16 h 49.

Mme Turnbull n'était pas au comptoir de prêt. À sa place, une dame que je n'avais jamais vue triait des papiers, l'air absorbée.

– Bonjour, madame.

– Bonjour.

Cheveux beiges, teint beige, yeux brun pâle, costume... beige.

– J'aimerais parler à Mme Loignon.

– C'est moi.

J'ai pris mon air mystérieux.

– Vous avez un admirateur, madame.

J'avais décidé de changer de tactique et d'y aller franco, quitte à faire marche arrière si la belle n'était pas la bonne belle. La bouche de Mme Loignon a fait un O et s'est refermée sans que rien n'en sorte. Moi, je hochais la tête en essayant d'avoir l'air normale.

– Je viens de sa part. C'est un grand timide. Il vous a vue l'autre jour au supermarché et figurez-vous que votre image ne le quitte plus depuis. Il aime le beige, le poids moyen, les belles, mais pas trop. Comme vous, quoi!

Cette fois, sa bouche s'est plissée, ce qui a donné une espèce de moue dédaigneuse pas du tout engageante.

– Quel supermarché?

Si je m'attendais à ça!

– Aucune idée.

– Et c'était quand?

– Oh! Un mardi ou un mercredi, possiblement un lundi. Au cours des trois dernières semaines… mettons.

– Tu peux être plus précise ?

– Pas beaucoup.

Rien.

– Il veut absolument faire votre connaissance, ai-je marmonné.

La dame s'est inclinée au-dessus du comptoir.

– Eh bien, tu diras à ton grand timide d'ami qu'il ne peut pas m'avoir vue au supermarché au-cours-des-trois-dernières-semaines-mettons, parce que je me suis absentée pendant deux mois. Je suis rentrée il y a deux jours.

Elle souriait de l'air de quelqu'un qui l'a échappé belle.

– Et puis?

Hector est devant moi, rasé de frais, bien habillé, les cheveux gominés.

– Et puis rien.

J'explique. Il se désole. Je retourne à la bibliothèque. Avec Solange. Un vendredi. 16 h 49.

– Par le plus grand des hasards, vous ne seriez pas Mme Corriveau?

Elle lève vers moi deux yeux bleus.

– Oui. On se connaît?

Taille moyenne, ni brune ni blonde. Belle. Pas trop. Assez. Flûte!

– Non, mais on va bientôt se connaître. Un ami à moi, un grand, un gros ami, vous a remarquée l'autre jour au supermarché et il se languit de vous comme ce n'est pas possible.

Peut-être encore un peu trop direct, comme entrée en matière.

– Au supermarché ?

– Oui. C'était un mardi ou un mercredi, possiblement un lundi.

– Je vois, a fait la dame, qui ne voyait rien du tout, je l'aurais parié.

Elle me fixe d'un drôle d'air. Je suis un peu découragée.

– Il s'appelle Hector, c'est mon ami. Sa chienne Solange est avec moi, dehors, elle est gentille, sa chienne. Lui aussi, il est très gentil. Elle est un peu abattue, mais elle prend du mieux. Pas lui. Je pense qu'il aime vraiment pour la toute première fois. Il faut pas laisser passer une chance pareille. Peut-être l'avez-vous remarqué vous aussi? Un gros bonhomme avec une queue de cheval qui brille? Au supermarché?

Elle a dû saisir mon désarroi, parce qu'elle a tendu la main et effleuré la mienne qui traînait sur le comptoir.

– Dis à ton ami que je suis très honorée, mais que ça ne peut pas être moi. Je ne vais jamais au supermarché, j'habite dans une communauté religieuse, c'est la sœur économe qui fait les courses. Elle a 55 ans. Ça ne peut pas être elle non plus. Désolée.

Sur ce, elle se remet au travail.

– Vous étiez ma dernière chance, ai-je dit en me détournant. À part vous, Mme Bonneteau et Mme Loignon, personne ne correspond à la description. Et ça ne peut d'aucune façon être Mme Turnbull.

– Il s'agit peut-être de Mme Pomerleau.

– Mme Pomerleau ?

– La bibliothécaire adjointe.

– Mme Turnbull ne m'en a pas parlé.

– Elle aura oublié, je suppose.

– Vous pouvez me la décrire, Mme Pomerleau ?

Elle fait la moue.

– Euh... grandeur moyenne... je pense. Taille... euh... comme ça, précise-t-elle en élevant approximativement la main à la hauteur de ses yeux. Ni blonde ni franchement brune, entre les deux... je crois.

– C'est sûrement elle !

– Elle travaille le soir.

Elle était petite, je dirais minuscule, et indiscutablement rousse.

– Mme Pomerleau, c'est vous?

– Oui.

– Vous ne correspondez pas du tout à la description qu'on m'a donnée de vous.

Elle rit.

– Quelle description et qui ça «on»?

– Hector, Mme Corriveau, tout le monde.

Je lui déballe tout, en vrac: le super-marché, les lundis, mardis et mercredis, Hector qui devient neurasthénique, ses beaux vêtements, sa queue de cheval, le printemps, les hormones et Solange qui attend dehors.

Elle rit de plus belle.

– Pourquoi pas? dit-elle.

Elle laisse passer un temps, regarde le plafond, réflexion intense, puis :

– Mais dis-moi, ton ami, il danse le tango ?

– Le tango ?!

J'avale de travers. Le mot tango danse devant mes yeux, je vois deux corps enlacés, quatre jambes enchevêtrées, quelque chose de sulfureux, de torride, d'émotionnellement compliqué, je vois Hector un peu lourd, un peu compact, mais je dis oui. J'en ai tellement marre, tellement assez, j'ai autre chose à faire, Solange aussi en a plus qu'assez, elle est en train de bouffer sa laisse, j'ai fait trois nœuds dedans, alors je dis oui, oui, pas de problème. Mon ami danse le tango comme un dieu, il a appris ça tout petit, pas de problème, non.

– Je vous l'amène dans une petite quinzaine, je dis. Il est alité en ce moment. Le désespoir, oui. Et aussi la fameuse grippe, le A (H1N1), oui. Mais n'ayez pas peur, il est pas contagieux pour deux sous.

Elle sourit, elle sourit tout le temps, décidément.

– Le tango argentin, évidemment, précise Mme Pomerleau.

– Évidemment.

– Le tango?

– Argentin, oui. Elle a bien précisé *argentin*.

Je l'ai littéralement propulsé dans la bibliothèque. Il a freiné à la dernière minute, a déposé un pied dans l'entrée et incliné son long corps pour voir à l'intérieur. Mme Pomerleau discutait avec un usager au comptoir de prêt.

– C'est elle. Aucun doute. Elle est chouette, non?

– Elle est petite et rousse.

– J'ai plutôt perçu son être intérieur, comprends-tu?

– Eh bien, cet être intérieur danse admirablement le tango et si tu veux te faire aimer de lui, enfin d'elle, tu dois apprendre le tango dans les plus brefs délais. Je t'ai déjà inscrit à l'école de danse *Virevoltes et pas de deux*. Cours intensif pour les nuls. Ma sœur Désirée t'accompagnera. Elle connaît toutes les danses ou presque.

– Tu seras là?

– Je serai là, Hector.

Première leçon : les pas de base

– Le tango est une danse à quatre temps, explique le professeur. Nous allons d'abord nous familiariser avec les pas de base. Le rythme est tout simple. Celui qui guide avance comme s'il marchait, un pied devant l'autre, en commençant par le droit.

Il s'exécute.

– Un pas lent, un temps, puis un autre pas lent, enchaîne le prof. Ensuite un pas rapide, un demi-temps, suivi d'un deuxième et on termine avec un pas lent.

J'ai beau regarder, cela ne ressemble pas du tout à la marche. Personne ne marche à ce rythme, lent, lent, rapide, rapide, lent…

– À votre tour, maintenant ! Pieds joints, genoux légèrement fléchis. L'homme enlace sa partenaire.

Hector empoigne Désirée, qui disparaît tout bonnement de mon champ visuel.

– Le corps est droit. L'avant-bras et la main droite de l'homme enlacent le dos de la femme.

– Le dos, Hector! Pas les épaules!

– OK, Désirée.

– Et on exécute les pas : départ du pied droit pour l'homme, du pied gauche pour la femme.

– J'étouffe, Hector. Tu me serres trop.

– Désolé, Désirée.

– N'oubliez pas l'alternance, pérore toujours le prof. Un pas lent, suivi d'un deuxième, ensuite un pas rapide suivi d'un autre pas rapide. On termine avec un pas lent.

– Mon orteil, Hector. Le gauche. Tu m'écrases le gros orteil à tout coup.

– Désolé, Désirée.

– Au début, les mouvements peuvent manquer d'élégance. Ne vous en faites pas, ne soyez pas inhibés, laissez-vous aller et suivez les consignes. L'homme guide la femme en douceur, les pieds suivent les mouvements du corps...

– En douceur, grogne ma sœur.

– Plus marqués, les mouvements! insiste le professeur. Le tango doit traduire un élan, une pulsion, une tension.

– Pied droit, Hector!

– Lequel, Désirée?

– Ton autre pied droit, tiens!

– N'oubliez pas que le tango est une lutte, mes bons amis, une lutte où les volontés s'affrontent.

À voir ma sœur congestionnée et Hector qui transpire, je n'ai aucun mal à le croire.

– Lent, lent, rapide, rapide, lent… Et on reprend depuis le début.

À la fin de la première semaine, ma sœur avait le pied gauche en compote et l'épaule droite luxée. Elle a déclaré forfait. J'ai dû prendre la relève.

Deuxième leçon : la fougue argentine

– Contrairement au tango de salon, plus retenu, le tango argentin est assez démonstratif, explique le prof. Chaque tango raconte une passion et cette passion doit se traduire dans les mouvements et la posture.

Je suis debout en face d'Hector, perdue au milieu des autres couples. J'ignore ce que je fais là, je prie le ciel pour que le cauchemar se dissipe et que je me retrouve dans ma chambre en train de lire. Hector n'en mène pas beaucoup plus large. Il s'est fait beau pour la circonstance, il a mis une chemise blanche, un pantalon noir bien coupé. Ses cheveux sont lissés par en arrière, libres, ils brillent.

– Les mouvements du tango sont précis, enchaîne le professeur, mais ce sont des mouvements naturels pour le corps. Le tango vous aime, mes amis. Aimez-le en retour!

Je ferme les yeux et essaie d'aimer ce que je m'apprête à faire, mais je ne suis pas du tout certaine d'y parvenir. Je pense à l'amitié, que je suis une bonne amie, qu'Hector m'en devra toute une.

– Pied droit en arrière pour l'homme, pied gauche en avant pour la femme. Pied gauche à gauche, pied droit à droite. Et ainsi de suite, allez, mes amis. Pratiquez ces pas avant que nous passions au déboîté et au renversé.

Les grosses mains d'Hector effleurent mon dos, mais sans pesanteur. Je pense pied droit, pied gauche, avant, arrière, je pense au déboîté. Qu'est-ce que le déboîté? Je pense à Solange et à Mme Pomerleau. C'est elle qui devrait être ici, pas moi. Je pense aussi à Désirée et aux mouvements du tango.

– Messieurs, pied droit en avant en déboîté, mesdames, pied gauche en avant, en déboîté aussi. Ensuite, pied droit assemblé pour l'homme, la femme croise le pied gauche devant. Pied droit à droite, messieurs! Mesdames, pied gauche à gauche. Et on reprend depuis le début...

Je n'écoute plus, ne reprends rien, ne déboîte rien non plus, si ce n'est le pied d'Hector qui ne se plaint pas, mais s'active comme si de rien n'était, sans cesser de bouger. Je me sens transportée de gauche à droite puis de droite à gauche, comme une marionnette à fils ou un mannequin que l'on déplace dans une boutique de mode. J'ai toujours les yeux fermés, je refuse de voir et, si possible, d'entendre.

– De l'aisance, exulte le professeur, de la souplesse ! Et de l'élégance, mes amis, de l'élégance avant tout. Oubliez vos soucis, votre vie ordinaire. Ici, vous êtes bien, vous êtes heureux.

Je n'ai plus de corps, plus de bras, plus de pieds, ou plutôt je ne les sens plus. Quelque chose vient de céder. Légère, je suis légère. J'ai la bizarre impression d'être en apesanteur, de me mouvoir comme si j'étais seule au monde, ou plutôt seule avec un géant qui m'emporte. Je sens mon dos qui ploie comme un saule, ma taille qui ondule.

– Corps légèrement penchés en avant, les amis. Légèrement, en douceur. Dans le tango argentin, les corps s'appuient l'un contre l'autre, dans un équilibre radieux. Radieux, oui! Rapprochez-vous, rapprochez-vous, mes amis. Les corps se touchent ou seulement les joues, allez-y selon vos préférences ou votre inspiration... Le tango vous appartient.

Une chaleur soudaine sur ma peau, la joue rude d'Hector contre ma joue lisse. Puis il s'écarte lentement, mollement. J'ouvre enfin les yeux et c'est à peine si je le reconnais. Il me regarde sans me voir, un regard paisible, à la fois attentif et distrait. *Radieux, oui!* Ses bras ont l'air de flotter, leurs mouvements sont amples. Au dessous, nos pieds exécutent leur gymnastique compliquée, je ne sais pas comment il fait, je ne sais pas comment je fais, mais il le fait et moi aussi. À chaque mouvement, la chevelure d'Hector se soulève un peu. Il sourit.

Et il danse. Hector danse le tango comme un dieu.

Je n'ai pas eu à faire les présentations. Quand Hector a fait son entrée dans la bibliothèque, sa timidité envolée, c'est comme si toute l'Argentine y entrait avec lui, du Chaco jusqu'à la Terre de Feu en passant par les Andes et les vastes plaines de la Pampa. Des têtes se sont redressées. Une brise tropicale s'est levée, qui a fait voleter des feuilles et la chevelure rousse de Mme Pomerleau.

Ce qu'elle ne m'avait pas dit : elle ne connaît rien au tango argentin, mais cherche désespérément un partenaire pour apprendre. Hector l'a inscrite à l'école de danse *Virevoltes et pas de deux*. Les cours commencent dans un mois.

Conclusion : savoir danser le tango fait aimer les bibliothèques.

www.triorigolo.ca

 Pour t'amuser à des jeux originaux spécialement conçus à partir du monde du Trio rigolo

 Pour partager des idées et des informations dans la section *Les graffitis*

 Pour lire des textes drôles et inédits sur l'univers de chacun des personnages

 Pour connaître davantage les créateurs

 Et pour découvrir plein d'activités rigolotes

Le Trio rigolo

AUTEURS ET PERSONNAGES:

JOHANNE MERCIER – LAURENCE
REYNALD CANTIN – YO
HÉLÈNE VACHON – DAPHNÉ

ILLUSTRATRICE: MAY ROUSSEAU

1. Mon premier baiser
2. Mon premier voyage
3. Ma première folie
4. Mon pire prof
5. Mon pire party
6. Ma pire gaffe
7. Mon plus grand exploit
8. Mon plus grand mensonge
9. Ma plus grande peur
10. Ma nuit d'enfer
11. Mon look d'enfer
12. Mon Noël d'enfer
13. Le rêve de ma vie
14. La honte de ma vie
15. La fin de ma vie

16. Mon coup de génie
17. Mon coup de foudre
18. Mon coup de soleil
19. Méchant défi!
20. Méchant lundi!
21. Méchant Maurice!
22. Au bout de mes forces (février 2012)
23. Au bout du monde (février 2012)
24. Au bout de la rue (février 2012)

www.triorigolo.ca

Série Brad

Auteure : Johanne Mercier
Illustrateur : Christian Daigle

1. Le génie de la potiche
2. Le génie fait des vagues
3. Le génie perd la boule
4. Le génie fait la bamboula
5. L'affaire Poncho del Pancha
6. Du rififi chez les Pomerleau

www.legeniebrad.ca

Mes parents sont gentils mais...

1. Mes parents sont gentils mais... tellement menteurs!
   ANDRÉE-ANNE GRATTON

2. Mes parents sont gentils mais... tellement girouettes!
   ANDRÉE POULIN

3. Mes parents sont gentils mais... tellement maladroits!
   DIANE BERGERON

4. Mes parents sont gentils mais... tellement dépassés!
   DAVID LEMELIN

5. Mes parents sont gentils mais... tellement amoureux!
   HÉLÈNE VACHON

6. Mes parents sont gentils mais... tellement mauvais perdants!
   FRANÇOIS GRAVEL

7. Mes parents sont gentils mais... tellement désobéissants!
   DANIELLE SIMARD

8. Mes parents sont gentils mais... tellement écolos!
   DIANE BERGERON

9. Mes parents sont gentils mais... tellement malchanceux!
   ALAIN M. BERGERON

0. Mes parents sont gentils mais... tellement bornés!
   JOSÉE PELLETIER

1. Mes parents sont gentils mais... tellement peureux!
   REYNALD CANTIN

2. Mes parents sont gentils mais... tellement paresseux!
   JOHANNE MERCIER

3. Mes parents sont gentils mais... tellement débranchés!
   HÉLÈNE VACHON

ILLUSTRATRICE: MAY ROUSSEAU

MARQUIS

Marquis imprimeur inc.

Québec, Canada

2010

Imprimé sur du papier Silva Enviro 100% postconsommation traité sans chlore, accrédité Éco-Logo et fait à partir de biogaz.